JAMES FENTON

Thonner An Thon

An Ulster-Scots Collection

THE ULLANS PRESS

That is the land of lost content,
     I see it shining plain,
The happy highways where I went
     And cannot come again.

A E Housman, A Shropshire Lad

Cassette Version

Many of the pieces in this volume have also been recorded
by the author on cassette tape. The cassette is also entitled
Thonner an Thon and its contents are as follows:

<table>
<tr><td>SIDE 1</td><td>SIDE 2</td></tr>
<tr><td>The lade</td><td>Hare</td></tr>
<tr><td>Thonner an thon</td><td>Mag an Tam</td></tr>
<tr><td>It's ill tae mine</td><td>Man on the Moon</td></tr>
<tr><td>The en o a dream</td><td>The servant-lass</td></tr>
<tr><td>Dinnis</td><td>Threshin</td></tr>
<tr><td>Leein</td><td>Wullie</td></tr>
<tr><td>Minin Bab</td><td>The pooers</td></tr>
<tr><td>Heatherbleat</td><td>Dunloy</td></tr>
<tr><td>Grunt</td><td>Him an hir</td></tr>
<tr><td>Words</td><td>Watter quail</td></tr>
<tr><td>Jeerin the jum</td><td>Caramoany</td></tr>
<tr><td>Blue-a-knowe</td><td>The biryin</td></tr>
<tr><td>Dailygan</td><td>Gan hame</td></tr>
<tr><td>The flow</td><td>Killagan</td></tr>
<tr><td></td><td>If iver Bab</td></tr>
<tr><td></td><td>Lint</td></tr>
</table>

Contents

Dailygan

An noo the lichts ower Brochanor
    mak blak the brae behin;
The sallies, hoovin saft an grey,
    come getherin, cloodin in;
The watter, glancin ower its dark,
    babs lippin, whusperin by;
The boag's dark-sweelin, quait, aroon
    the tummock whar A lie.

The peats' quait low, the week's saft licht
    mak blak the ootby noo;
The prootas plowt; the neeps' sweet steam
    cloods roon hir sweetin broo;
Bae qua an boag, ower queelrod wa,
    thon licht's a gleekin ee
Frae whar A come an whar A'll gae
    tae nether stie nor lee.

1

It's ill tae mine

It's ill tae mine, wae a'
The years an a'
The ither;
Yit ivery booin brench o the sally,
Tal an strecht an lang
Awa,
Wuz skeenklin gless, clear an shairp,
Teenklin frae oot the sky in spails an
Flitterin bricht,
Saft-plappin
Inty the poothery snow, wreathed
Deep, saft-white an quait
A' ower the sheugh an dake.
An we trevelled thonway,
Flippin noo,
Lilties baith,
Skeich-geeglin at
Ither,

Ower the pakked, broon-padded snow, whur
Nae road wuz, hir
Sae licht, sae lichtsome, quick-lachin
Doon, thonway, a keechlin
Hizzy, howlin
Ticht an het
A wain's clinched fist tae,
Then, we gaen by
The waitin gate, quait-hingin, whur A
See it yit,
Wee roses keekin,
Bricht draps o blid, frae oot the snow; yit
Niver mine
Gan in the dorr.

The en o a dream

Yin nicht, anither, an aye
That wie,
Tae thon nicht,
It come:
The plappin, getherin sugh frae
Oot the dark, tae
The hale lade ruz plowtin, plumpin, an
Frae oot the gowpin steam

He come:
Bak turned, heid booed
Bae the broo,
Claes blak an cattered, wat an reekied, an
The airm
Hel oot, the appen han
Waitin;
Tae the nicht the airm
Drapped, hingin jaist, an he come roon, then,
Lucked doon,
Een tae een; jaist luckin; an
Frae crinin scar
An the rivin stoon o seein an knowin
He'd ahlways
Knowed,
He lay gethered cowl in
The waitin dark.
It wud niver come that wie agane.

Thonner an Thon

Belnaloob's whar A come frae,
The hamely rit o maist A'll hae,
Whun a' bes ower, tae fang'l wae;
An aply fin
The jag wuz gien as weel tae spae:
A *towl ye, sin.*

Hud flet behin the queelrod wa,
The bink an borras years awa -
The slappin spade, the clodded scra,
The lashin sweet -
Ye'd screch an flee abain them a',
Thon heatherbleat.

Tae Knockahollet quait we gaen,
For iver frae the corner taen,
An hurkled wee ootby yer lane,
Crined in wae dreed
Frae speerin seek whut micht be daen,
The dark aheid.

Tae wak an fin yin moarnin blak
The empy sark, the simmet slak,
The baith taen up an niver bak,
An him his lane:
Whar micht he rin, whut scoot-hole tak,
Whar jook, the wain?

Killagan: dae they whiles yit mine
The brig airched quait ower nixt the line,
Whar crooded sonsie hizzies fine,
Baith bowl an bra,
In heids wae nether crub nor rine
On ettlin ra?

In Bellymoney, ticht wee toon,
Whar catter's harly scattered roon,
We danthered, keekin, up an doon,
Aye luckin for
Tae aiblins profait wae the moon
Nixt Belnamore.

In, in, poo aff them wringin claes -
The boag's sae wat these drachy days.
Goach! Wud ye listen whut he says,
An keeks aboot!
An me mae lane - sure gin he daes,
Ye'll be lang oot.

Wantherin strange bae Lagan's broo,
Baith aply affen wunthered hoo
Blin clod micht iver lee sitch two
(Hir wie: mine's twa)
Thegither. Weel, it's hel tae noo,
Wae clesp, wae thra.

Tae Bellycastle baith wur taen,
Doon whar for quait they affen gaen,
The frettin ower, the spaein daen,
Their bother by;
An thonner, redd o worl an wain,
In quait they lie.

Lake gress, a boady's while, that's a',
Or lake a flure, nae last ava:
A flooch o wun an al's awa
As shane as ruz.
Och mine him lake a shedda ga!
(Wha's this he wuz?)

Dinnis

A gaen farder, thon day, nor iver, aidgin canny
Ower the stick brig, booin nerra
Ower the slow blak watter o the sheugh, an awa
Ower the sookin fog an gruppin ling,
The boag streetchin oot aheid, far,
An far, waitin, an thonner
He wuz, strechtin hissel in the bink-bottom, blak
Han lifted, the gless o
The square bottle glancin lake fire,
The heid bak, thrapple thrabbin wae
The lood glug o his swally, tae
He stapped, waited, rifted, an
Pushed it bak doon inty the blak
Glar.

Pechin, sweerin, he hilshed hissel up,
Plartin doon, heavy, on the binkheid, the face
Big, roon, bleezin rid an
Rinnin wat.
'Davy Leary his a machine
Dis this'
(*His* an *dis*, naw *haes* an *daes:* an
Ower his shoother,
Thon far, dark shape on Tullaghans).

A lucked roon, luckin
Bak, an sa the ithers, awa
Thonner, booed
Ower the fittin, an,
Niver missed,
Stud wee in the wileness o the boag an
The wile, hantin reek
O whuskey.

Leein

It wuz aye the best time: the ithers
A' oot an awa an hir
Bent ower the skillet an plumpin brochan,
The saft scad frae the peats, quait-
Burnin, comin an gan
Ower the flure.
Noo,
Hir bak turned, thonner, the spurtle
Hingin:
'For luck at ye!' she said, naw luckin. 'Lake
The en o the worl.
Or lake maesel,' she said.

An ower bae the dorr, luckin oot
An doon the lane, rinnin awa
Tae the Knockahollet road, waitin
For the morra:
'Frae yin worl tae anither,' she said.
'An nae gan bak.'

An stud thonner, luckin ower
Thon wie:
'But you'll aye be comin bak,' she said,
The steam cloodin up roon hir,
Ower thonner bae the appen dorr.

Grunt

Foriver there, frae the furst
Chance sicht, laich
Amang the stanes, it niver
Jeed, day efter day, a
Wee wavvin, wabblin scad, the colour o
Naethin, o
Stane an watter an grevel, there
An naw there in the jibble an chitter
O the lade's shella hurry, yin
Wae the watter.

He waited, crootched, still, as it
Taen shape frae oot the
Shirin watter, an
Sa, in stooned wunther, thon
Bairded heid, dunt-duntin agane the gless,
Sa, thon weetchil, nae fish but somethin
Owler, wiler far, frae
Some far ither time, as owl
As the watter's rinnin.

An canny on his groof
Agane, he taimed it, quick an canny, bak
Inty the waitin watters o the lade,
Rinnin there for iver.

Minin Bab

We sa the licht a fiel apairt,
Wur niver lang frae ither;
We progged for fun in ivery nyuck,
An fun the diel thegither.
Nor thocht the yin
Micht loass the tither.

For enless oors alang the lade
An doon the rugh bak-fa,
We ginnled troots an bairded grunts,
Wee sookin eels an a',
Weel hud frae sicht
An frae the la.

We sa the tittle hunt the gowk
Low ower the rashy flow,
An fun the greetin peeweeps' burds
Hud on the grevel knowe,
Whar whutrets jook
An buckies grow.

We tramped laich boags an traiked stie braes,
Wae een as shairp as haks'
For ivery scroag an sit an den,
For hap-marked pads an traks;
An hurkled doon
Bae coved dake-baks.

We raked the lan frae en tae yin,
We scunged baith day an nicht;
An gien nae thocht (it's aye the wie)
Tae whut wuz wrang or richt,
Nae thocht ava.
(But noo we micht.)

But thon's a' by an lang awa -
Whut guid tae seech or sab?
Ye wait, awar the rinnin's ower,
Quait-coorached bae the hab.
Nae rinnin noo.
Nae mair. (Nae Bab.)

Words

Close-eein the elshin an yirkin, niver
Yince luckin up,
He said agane:
'Naw the nicht, A said. It's ower
Late' (words tae stie wae ye).
An in a sugh
O smoorin dark, ye hard
Them brustin oot:

Owl blirt!
An frae oot the dark, the lifted
Een,
Naw stooned, naw bleezin, but,
Tae hant ye,
Scarred.

14

Jeein the jum

A big wachlin, wabblin jum,
We'd ca'd hir, an sa hir
Noo,
Wabblin an juntherin an riftin
Yit, as she
Gret -
'Al A iver had in the worl' -
An mined noo wer jeerin
O the wabblin,
An the riftin,
An the traitlin an glammin o hir
Wee pappin, an sa
The easy it wud be tae
Jeer hir greetin
Tae.

Wullie

A stud wee an strecht amang
The gappin thrang -
'Thon's some boy!' -
Whun ye sut big, braidbakked, bae
The bunker, luckin ee-tae-ee, pushin
Fit-tae-fit, gruppin a howl o
The bar an pooin them,
Yin efter the ither, frae
A' roon,
For naw a yin could jee ye.

An stud mae lane,
Watchin,
At the fit o the bed whar -
'A'm that dreepy' -
Ye wrassled an sprachled an focht, luckin
At naethin,
Tae sit up, tae
A licht wacht o a hizzy taen howl o
The big glammin han, pit
Yin airm unther the hingin shoothers, an
Pooed ye up, whun,
At the hinther en, ye
Gien in,
Bate.

Threshin

Wuz a' soon an flail an flaff:
The sab an thrab o the Garvey,
Juntherin an jirgin
On cogged or glar-laired wheels;
The glancin jab an stoory flail o the forks,
Tossin the tirlin shaifs;
The flaff an flirry o the caff,
Doon-licht yella flakes -
But soon abain a', abain
Ivery soon in fiel or yaird or hoose,
A' ower the country an doon
The lang years:
The lang, hingin thrab an chokin sab,
The lachin squeals o weetchils,
Flailin their brenched sticks
Roon the hotchin staks,
The deein squeals
O leppin, clattin rats.

Man on the moon

The owl yin
Sput oot an doon;
Spoke slow; an quait; wae
A' his wecht
On the brig wa.
'Their cak,' qu' he, 'wull
Niver reek on it.' An
Sput.
'The Toor o Babel,' qu' he, an
Sput doon
On the skeenklin watter.

The weetchil,
Licht-striddled ower the owl grey stanes,
Wae yin airm streetched oot
An up,
Geegled, keeked roon, geegled an
Said:
'A rail tour this, but - a tour
O the heavens.' An
Jirked his fing'r up:
'Thon's the way
O it,' he said.

The owl yin,
Ticht, stiff, streetched hissel
A weethin; niver
Turnin, niver
Luckin up.
'Naw yer fether's wie,' qu' he.
'Naw the Book.' An
Crootched bak doon. 'An sae
They'll fin.
Tae their coast.' An
Sput on the skeenklin, glancin watter.

The weetchil,
Keechlin,
Said:
'The man on the moon
Wuz hanged in June
For haggin sticks on Sunday.'
An lached oot, duntin
Wae baith heels, lanchin
Baith airms richt up tae
He near come aff the wa.

Heatherbleat

Bak then, afore the whun-hud sheugh
Wuz stripped an biried
Ooty sicht, tae dra awa
The life-wat frae oot yer worl o
Green moss an puddle-hole,
Bliddin it dry -
Bak then, lake yisterday, lake
The risin crake o fa'in simmer nichts an
The yellayorlin's deein sang,
Come yer flicht at dailygan, a wee
Quick trimmlin shedda, climmin
Heech tae fa
Drummin oot yer claim an richt ower
Sky an boag, ower
Whar she crootched, flet,
Yin wae the foggy grun,
Hearin an knowin.
An naw knowin.

Mag an Tam

Tam wuz fun
Bae a weetchil efter
Stricklies
('A sa this han')
Mooth doon
In the glit an glar
O the wee watter

Mag wuz fun

Watter Quail

A fissle unther the deed, saft-hingin thatch,
A strippit shedda, a wheekin scad,
Ye jook crootched an shairp an quait
Amang the queelrods.

Or, ower late, ower scarred, tae
Rin, ye flitter up,
A soonless flachter,
A thaveless, loast flaffin nixt
Naewhur, lang legs hingin silly, or aiblins glammin
The empy air for
A graip o the sure wat grun, tae
Ye drap, or fa, bak
Inty the cowl shilter o the deed
Staks, fleein frae sicht, yit naw
The licht itsel.

For, wae the dark creepin, quait
As daith,
Frae oot the boag, amang the queelrods an
A' ower yer wuthered worl,
Comes thon ra, rivin screch -
Agane the nicht's comin? Or
Whut the nicht micht bring? Or
Wull bring?

Whutiver:
The yin cry 'll dae
Iz baith, wer lane
In the getherin dark.

An noo

He couldnae aks, she wudnae say,
An sae they gaen awa;
Noo nocht's tae gie, an nocht's tae dae,
Whun baith hae gien it a'.

The Servant Lass

'Weel, naw,' qu' he, 'she didnae flit:
Whun she wuz taen wae heavy fit
We thocht it kine tae en hir sit
Or takkin riz.'
'The fit wuz mine,' qu' she, 'but yit
The wecht wuz his.'

Rab

Och Bogey, whut a sinfa nicht,
Whun Rab blin-graipin sa the licht,
An jookin Tam as weel he micht,
Gaen sailin on;
Yit leein iz wuz harly richt -
A' blamed for thon.

Twa

In the wud hieshade bae Loughgiel's shore,
Whar boadies pech an owl soos snore,
Twa taen thon step that gaes afore
Sae mony fas:
The soo, lake yin het for the boar,
Gaen through baith was.

The pooers

I
Owl an cattered
Gettin,
But streetched oot lowce an
Easy yit,
The tatty heid rowlin bak
Thon wie
On a beet or bunnle o bans,
Hans, wuthered clats noo,
Wudbin-broon,
Graipin the strippit grun, wae
Thon craitle waitin
In hir lach:
'Ay, richt,' qu' she, 'you
Poo up an
A'll poo doon.'
An the hoochs an keckles
O wee Mag
(Ye'll mine wee Mag),
The blae-white shanks heech-kickin,
Lake airms wavvin.

II
Himsel,
He weeged an pooed an
Keeked an coonted tae
She come oot, quick-gleekin, an leed
The piece;
Keeked an coonted, slow-chowin, whun she gaen
Tae spell him at the flet an leed
Beet for beet in
An oor or sae, afore she leed
Hirsel.
An he (Gowk,
Yins hard hir ca him)
Allooed: 'A wumman's place -
But whut guid's takkin?'

Dunloy

The glarry forth waits ower abain
Wat boags streetched braid alang the Maine.
Frae ether side their horses gaen
Tae Caffle's shap;
Then Paddy tuck an Rabbie taen
A canny drap.

'A wudn't mind a mare like that,'
Pat said. Qu' Rab, 'Ay so.'

The yin wat clie haps up the deed,
The dark lang hame o ether creed;
An then, quait-crakkin nighbers, they'd
Wak fort thegither,
Tae keep ootby or boo the heid,
Quait-minin ither.

'A hope he's happy now,' says Pat;
An Rab alloos, 'A know.'

Him an Hir

An frae whusperin
Oot agane, behin
The Chronicle,
He scoolies, gowsty gettin, ower the aidge at
Hir agane,
Minin hir needles:
'Noo luck,' qu' he, 'whutiver they daen or wur
At, him an hir -
Twunty poun apiece an baith weel warnt agane
Ocht o the kine
Iver,
Whutiver it wuz.
Twunty.'
'Noo you,' qu' she, 'whiles ga wrang
Wae yer readin o a thing.'
'Wrang?' qu' he, wampishin -
'An absolyute affront tae
Public decency -
Whut's wrang wae that? In
Blak an white an
In Cowlraine toon, forby, an ye know
Whut A alloo?'
'Ay weel?' qu' she.
'Men an weemen nooadays,' qu' he.
'Ay nooadays,' qu' she,
Minin hir knittin.

Davy

Drachy the day an dreech the wie
As we gaen oot ower Collin high
Allooin nocht, yit minin aye
The yin awa,
An shane tae lie in the wuntry clie
O cowl Buckna.

The wun blew doon frae thon dark heid
Ower stane-daked fiels that yince he leed
Tae fecht on hetter grun, sae we'd
Be fit tae leeve;
We'r leevin a', but noo he's deed,
An we man grieve.

Yit jaist tae greet or seech ower lang
For sitch a yin micht weel be wrang;
Sae gie the sab but howl the sang
An a' his wies
Aye wae wersels whar they belang,
For thon a' sties.

The appen dorr, the giein han,
The reamin gless, the sweemin pan
He (whiles an apern-weerin man)
Wud hae for a',
And stanchly as a brither stan,
Come sin, come sna.

Whun noo abain he taks his hairp,
Wae voice sae true an ear sae shairp,
Naw e'en an angel'd dar tae cairp,
An weel knows why:
A sowl withoot the sma'est wairp
Wuz Davy aye.

Caramoany

A fiel-lenth frae the hoose
(Renyvated, noo, a modren resydence),
The lane's wore stanes, fait aidges, turn
Awa.
The wie aheid's a wie mair
Mined nor sa, a scroag
O thoarn an whun an fanglin brier, an yit
A rodden yince,

Yince, tae, the hant whar wains run
Scootin tae gether the keekin yella flures,
Bricht as their een; stud quait
Aroon the yorlin's scahldies, streetchin blin
Frae their saft dake-bak nest; gappin at
Ither whun trimmlin, graipin hans
Fun the pink heat o the rabbit's kittlins,
Saft in their saft wull hame; hud,
Geeglin, in their dens frae ither; whar
Yin, a weetchil noo, hud
Awa frae a worl
He'd lee an niver lee, dreamin o
Whar he'd be an niver be.

Ower thonner, whar yince the rodden gaen,
Unther the hingin brae, booed
Brenches clattin at the roosted tin an crummlin
Breek, a hingin rickle, noo,
The ither hoose hurkles, waitin,
Wundas gappin, dorr hingin appen
Tae the wat clie-laired flure an rinnin lime,
Tae the quait, gressy yaird
Whar thon ither wains ye niver hard aboot
Man yince 'a sported tae, an whar
Anither weetchil micht 'a wanthered aff
His lane,
Tae dream, his lane, but naw
O far wies o waitin stur an sin,
Naw o this worl -
Thon weetchil niver named, niver
There behin the een
Bleezin frae oot the lashin sweet at the doag-tyugh breesht,
Skeenklin thon wie unther the pooed-doon scoop at hir
Mock scowlin,
Wat-bricht ower trimmlin fist an
The appen Book.

Blue-a-knowe

Bing'd sticks bleezed roon dulled troots an blues ill-fun,
Whar Roabin bowl, Lang John, Hakeye lay a',
Wae blid-wat seggan bled an het esh gun;
The ither worl sae mony worls awa.

Dark boortries flured an clooded whuns bleezed bricht,
Whun hizzies cried frae lang aheid gien in;
An graipin fing'rs trimmled in the nicht
Whun Brock riz oot: dark nichts o darkest sin.

They shaped bricht wies they'd trevel yince they leed,
An thon dark pads they sweeted wat tae tak,
Far empy wies, quait-waitin oot aheid,
They'd flee alang, nae thocht o luckin bak.

Noo yin, gan by, maks bak tae luck ower in,
Bak ower the scroag an strippit knowe; ower whar,
For bleezin wies an blid-rid dreams, they'd fin
Blak birns, grey haggit stumps, a roostin car.

The Coarnmill

Ye hard
Tak o the pooin doon,
Tak o things tae come -
O better veesion, a hale new layoot,
Wae thon blin trap awa,
O new names (frae owl names) for a'
The wies aboot;
An, on the wie by, stapped, jooked
Unther the hingin dorr,
For a last luck, the furst luck
In a' the minin years.

Ye sa
Agane the bricht faces, licht-fitted
Sheddas, scads, gan
Ower the dozed, booin flure gappin
Ower the reeky blak below,
Fleein han-ower-han alang jirgin beams,
Speelin up rid chains, tae fin,
Heech abain the worl, thon ither worl
O sin an shedda.

Ye stud
There, in the deein licht, wae
The quait, roosted shafts an wheels,
Shrooded wae lang-settled stoor,
The moochted coarn an poothered shillin.

The biryin

Luckin ower the wat binged clie an
Twarthy hingin flures,
Awa ower the laich wuthered boags
Tae the quait braes an slow
Watters o the ither worl whar, yince,
Three weetchils run wile an free,
They taen, the wat greyheids, tae
Minin an, minin, gaen leppin thegither,
Speelin, hokin, ginnlin, kickin enless
Fitba; tae, blootered (they wur owl
Gettin), they stapped tae luck for
Whar a coved dake, a scroag, a sheugh
O scootin stricklies wur, whar
Thon hoose yince stud, or stud
A rickle noo, whiles quick-chakkin
Ither's minin, an coonted the
New hoozes, white blocks, maistly, an
Whiter gettin as the fiels an braes
Darkened bak, for it wuz
Gettin on; tae the yin, luckin roon
Him, allooed:
'We'r wer lane, it lucks.'

An the ither, lachin bak: 'We'll lift
Or they jalooze we aiblins thocht
It wuznae worth wer while.' An baith
Lached then, a weethin, nixt
The rinnin clie.

Gan oot, they stapped, yince, luckin bak
Ower the wat grey heidstanes.
'Ay, London, wuzn't it? Bak tae
Dee, ye micht say. An yersel -
Did ye -?'
'Naw. Ower late. Hard he wuz hame an
Hard it wuz a' by.'
'Ay. A' by. Ay so.'

Bae the braid appen gates they pahsed
Agane, stud luckin at
Ither.
'A lang time,' the yin allooed. 'A
Lang, lang time.'
An 'Ower lang,' the ither. 'Ower lang.'
An grupped ither's han, howlin on
A wee langer.
'Dear Guid!' the yin, an
'Och noo!' the ither. Then, quick,
Considerin their years,
They gaen frae ither, nether
Luckin bak.

Gan hame

'On his wie hame,'
She said, 'frae the meetin. Tired,
Someway. Someway naw at
Hissel. Och nae mair,
Aply, nor a wee dwam. But yit
An wae a'. Come doon, noo,
Come hame, oanyway. For
Guid knows,' she said.

Hame
(For baith, oany iver the yin,
Trevel an luck an speer
A' ye micht),
A sa him luckin up
Thon wie, frae the pilla, tired -
Jaist daen, he'd 'a ca'd it -
An naethin mair.

Luckin up
The grun frae the laft wunda,
Ye sa whar yince he wrocht
At his queens an leeks an,
Beyont, the hal, the
Halfwie hoose on his dreech road
Hame,
An awa thonner the stie braes
He wrocht his wie up ower
The lang years, on
The hoovin hills o Orra an Corkey,
Comin yin, noo, wae
The cloodin sky, as ye hard
Agane
O this sore, blin road,
This empy blink, an, as aye,
O things tae come an the
Hinther en nae jookin
Man micht jook. Tae then,
Howlin oot baith airms,
He come tae me, luckin
An easin han on his sore-
Wrocht shoother, finnin
The worl's last tryin stoon
He'd iver fin.

His last words.
Howlin him, for the furstim iver,
Howlin bak a weethin, akward, naw yit
Awar, A lucked tae pit him
Aff: 'Ye'r better
Nor ye iver wur.' An he gien
Nae word mair, nor
Iver wud, in this worl. Yit
Ye needed naen, weel awar,
Then,
The answer he wud gie,
Noo:
'Ay, better far, Guid knows, far
An awa.'

Hare

Nae ither soon wuz there, efter
The spalter an plowt, but deed
Broon quait a' roon
The tummock whar A sprachled,
Daen, luckin an listenin
For naethin. Sae
Wuz it the boag-owl crinin,
A furst canny hirsle, or aiblins
Somethin ither, owler yit, that brocht
Ee tae watchin ee?

Yince fun, thon bricht ee wuz,
For a wee,
A' there wuz, bricht an brichter,
Tae a hurklin doon an bak,
Chairgin the lang hud legs
Wae getherin poor, gien ye
Leevin shape frae
Oot the deed broon worl.

Getherin maesel, canny,
Akward, A lucked tae lee
Ye there, but ye wur
Awa, leppin up frae oot yer cowl bed,
Streetchin oot, reachin oot
For appen grun,
A skeenklin watter-wheel loopin bak
Frae the flailin legs, wur
A broon waft in the saft yella star
Tae ye stapped; sut up strecht
On the bare knowe, streetchin
Heid an lang cocked lugs, yin ee
Luckin.

An A wuz naethin,
Naewhur,
Whun ye drapped doon, nibbled, an gaen
On, rowlin easy an ooty sicht, inty
The wuthered rashes, broon
Inty waitin broon.

A wuz awa maesel, then, plowterin bak
Tae the rodden, lampin oot
For the line's thrang stur.

The watter

Yit here, wae a', this watter rins
The wie ye mine sitch rinnin:
Shella, broon, quait-bebblin, wantherin
Aboot, withoot flooster or hurry
Tae loass itsel in the bothered watters thonner,
Quait-lippin its roon broon stanes,
Cairryin licht its hingin sprickled troots
Unther the soonless birl o flies,
The licht, wheekin flicht o wagtails;
Unther a quait
As quait as the minin.

A' it taks

A whap's far, half-hard ca'in
       ower Strangford;
A stane-daked fiel o hutted coarn
       in Derry;
The rugh face o a hannled peat
       on Vogey;
The wat-lint hoag frae a seeplin bing
       at Doagh;
The teng o pakaged soordook bocht
       in Tesco's:
Thon's a' it taks.

It's luckin blue

It's luckin blue
For these blue hills: half Orra's sweeled
In a misured smoorin shrood,
Gruaig's saft purple's gna'd awa,
An abain a', on Corkey, lang hame o the wile
Rid burd an heather-broon hare,
Its age-owl brae grey-gorred, gant white
Staks, sprootin lake puddocks frae oot
The deein hill,
Streetch heech their coasted oagliness.
Whut stappin-place?
It's luckin blue
For blue hills.

Killagan

An noo the brig stans grey an quait
      whar yince sae mony gaen,
Whar noo, lang ooty time an place,
      A stap tae stan mae lane;
Tae stan a wee an hear yince mair
      the hantin, whusperin ghost
O hamely thochts yince thocht sae sure,
      an lang sae surely loast.

Whun yins had wrocht the lang sore day
      in wat or cowl or shine,
They'd gether roon tae rest the banes,
      pit graith on rested mine
An gie it vent (wae savin crub)
      tae keep it shairp an trig,
Tae settle metters big an wee
      on this stane-solaid brig.

Jaist ower the brig the graveyaird fiel's
      a corner laich an quait,
A bucht grew ower, nae heidstane there,
      nae minin name or date
O yins that wrocht the same owl braes,
      an thocht the yin owl wie
Whun gethered here on lang-by nichts,
      whar only they wud stie.

Yin an ither

The ither kep ootby an sa,
Naw luckin in,
A boonless wie that run awa
Tae enless sin.
The yin, quait-hurklin, fair-faced a',
Ower feared tae rin.

Tae rin, tae scunge, tae prog, tae fly,
The ither gaen;
The yin wud luck, an speer, an stie
Tae sin his lane,
An tak the canny, misured wie
His fethers taen.

That wie, strecht-trevelled, a' behin,
The dreech traik ower,
Ower daen tae prog, ower owl tae rin,
He lucks nae mair,
But fins hissel ootby tae fin
Nae ither there.

If iver Bab

If iver Bab come bak agane
An lucked tae fin iz bae the lade,
They'd stan an watch him stan his lane.
If iver Bab come bak agane,
He'd niver tak the pads we taen,
An niver fin the wie we gaed -
If iver Bab come bak agane
An lucked tae fin iz bae the lade.

The lade

Bae Dinsmore's brig, whar the big watter turned nixt
the carry, the lade begun, cut wae spade an sweet tae
cairry drivin watter tae the coarnmill an lintmill doon
at Killagan. The lade, the leevin hairt o it, run through
the worl o thon weetchils' enless days an enless years,
worl an years lang loast. Bae thon wee pappin's fiels it
gaen, wee fiels weel guerded wae fait stane dakes rinnin
bak tae guerd as weel the slow, hirded rottin o his blak
plums, agane the scholars' glammin hans. An we
thocht o the wie the wee nyir man hae wunthered,
jumpin agane aply, whut come o the fait hie coles,
swem aff in a babbin ra, the day, jumpin an squaverin,
he come aff Bab's hokin doag a snite wae the
blakthoarn. (Weetchils' ca'in: he wuz whut he wuz.)
The furst streetch o the lade, on its sure wie bak tae the
big watter; the furst streetchin o a' we hard o richt an
wrang, on wer wie we niver yit thocht whar.

Pooin an pechin thegither wae a' wer micht, we
wun the sloosh up at the furst rin-aff intae the big
watter, sennin the watter thuntherin an froathin doon
ower the heech roon stanes; cogged it bak a wee; lut it
fa agane; an lucked for a troot whuppin an spalterin
aboot whun, lake thon, the watterfa turned tae
puddles. Lake the wie ye'd whiles fin yin in the wat
meeda whar the fahlty broo, fornenst the fa'in face o

53

the bank-fiel, wud brust - o its ain accoard maistly.
An it wuz nixt the bank-fiel, tae, whar the lade run
grevelly, we sunk the sheets o roosted zinc, hel up wae
binged sods an stanes, an taen tae the watter wersels,
an swem, or flailed an splashed an spaltered, oanyway.
(The wie thon ither thochts, sheddas yit, ra, half-shapit,
wur joinin, roon thontim tae, tae flail an spalter aboot
somewhur in wer heids, wattin the broos.)

  Frae the bank-fiel tae the watterin bay cut ooty
the broo behin Bab's hoose (stannin yit, mair or less,
wae the ither yin ower the road, twa crummlin
heidstanes), the lade run quaiter, deeper a weethin,
whar we sent wer ships a' roon the worl. Troots hung
trimmlin in watter as clear as gless, snigs maistly, for
the rail troots wur ower in the big watter whar, owler,
we shane mestered the heech airts o ginnlin, dullin an
baggin. Big troots swem whiles in the lade, tae, but
belly-up an gappin, cairried doon frae abain the brig
whun the lint-watter wuz lut aff - near nicht, maistly,
men lakin the dark mair nor the licht. But the eels wur
big, that come revenish, quait, quick, dark sheddas,
whun the herrins wur gutted an renshed bae the stane
steps. Thonner, tae, we catched the stricklies an, farder
doon, whur the watter run shella ower a stany bottom,
the wee sookin-eels, stuck tae the stanes, an - canny,

canny, efter the stoon o thon furst sicht! - the bairded
grunts. An whar the brenches booed ower the watter,
twa fechtin men wud speel up an ower, or swing han-
ower-han, tae drap fierce-eed amang trimmlin German
soajers; or twa drookit grals wud sprachle up the broo
an jook tae dry their claes in the boiler-hoose afore
they wur captered an taen in.

Whar the lade gaen unther the road tae
Knockahollet, stud the wee shap (a modren bisness,
noo) an the proota store (awa, noo): the wee shap,
whar we bocht sparklin spaicial (it wuz the wartim)
an sweeties (whun we had oany Ds or Es) wae wer
twarthy coppers an, afore ower lang, the furst sing'l
Wudbins; the proota store, whar the cairted bings o
blues an whites wur waled on the chute an bagged in
huntherwechts an whar, on wat days, a wheen wud
gether, wae iz wuntherin (baith wies, whiles), tae
regalate the wies an woes o mankine, frae Killagan tae
Spinyorra an bak. Behin the store, the heidrace run
tae the coarnmill, baith lang awa, an anither quait
streetch brocht the lade unther the Belnaloob road an
doon tae the big dam at the lintmill, the yin lang
biried, the ither quait this mony years.

The lade's journey through oor worl (an, we
niver jaloozed, through time as weel) wuz gyely ower.

By the last sloosh, unther the mill-rodden, it raced
an tummled doon the bak-fa, splashin an chitterin an
jibblin unther the hingin brenches, tae rin thegither
wae the lintmill's tailrace bak inty the watter it come
frae, tae rin on an on through wer shoartenin days,
wer quait minin.

   Bae Dinsmore's brig, whar the big watter bens,
palin-stabs an barbed wire mark oot whar the lade
yince run.

The flow

The flow's ower nixt Dunloy, a smal pairt o the lang wat
boags rinnin wae the Maine Watter frae the Broonstoon
tae Brig-en, whar yintim a lock o yins cut the wunter's
peats. Sitch stur wuz thonner, wae a guid simmer, frae
Mie on, frae the furst scra-parin tae the dra'in or
dreggin wae coaglin cairts oot the slunky rodden.
Maistly in twas or threes they wrocht, at their ain bink,
quait maistly, wae the cutters leengin at the breesht an
the wheelers half-rinnin, kempin, tae stie wae them;
tae they gethered thegither, brockie-faced wae sweet an
peat, tongues an baks crakkin baith, an taen their
pieces, wat wae tay as blak gyely as the moss-watter
itsel. Sae mony then, sitch stur, but naw noo; al's quait
noo, naw a yin aboot. (An mair nor that's quait, awa,
or maistly sae. Sae weel ye mine it: the whaps an the
peeweeps an their lachters jookin, the crakin frae the
yella star on the heecher grun, the tittle foriver efter the
cryin gowk, an whutrets keekin an wheekin ooty the
staks o owl peats; an aye gin dailygan the enless bizzin
o thon wee burd amang the seggans an queelrods, the
yin ye hard but niver sa.)

An mae fether: breeshtin wuz his wie, the wie o
maist, the wie whar the bink wuznae ower heech, the
big en o them in thon sapplin moss - a gullion wae a
wat start - wae a brev lair o fog an fum taen aff the

binkheid. The odd yin stanked, but naw mony; an the only untherfittin wuz whar, for yince, the bink ruz weel abain the shoother. (Ower bae Slaimish, bae the Vogey side, it's whiles the ither wie roon: untherfittin - trinketin, they ca it - is the only wie wae the peat a shella lair.) Breeshtin: an mony's the lang, sore evenin oor he wrocht at it, efter a' the ither oors. An's aye thonner, sae weel ye see him: plowterin in the fit-ga, simmet appened doon, galluses hingin, sweet lashin, the twarthy tails plestered flet tae the gowpin croon, teeth gruppin the unther lip an een bleezin as he driv at the bink. (An seein him thon wie noo, ye mine, tae, a wain's wuntherin whun owl Dinnis, sweetin an sweerin an reekin whuskey, towl him Davy Leary had a machine tae dae it.)

An yersel, a gral o a weefla, kilt wheelin tae him. For wheelin ower wat grun wuz a wexer, an copin on the wunnin grun wuz knakky enugh: brek them, an a' ye'd hae at the hinther en wud be a bing o clods an a lock o coom - as a rair frae the bink wud aply mine ye.

Nae sweerin wae mae fether; but a doag in the breesht raised him mair nor a weethin. A big akward doag - naw lake cat (doldrum, up the country), shoart an tyugh, that gien some o iz a ra, jooked reek whun wun, but the butt o a tummock, or a hale tummock, biried in the moss frae wha knows whun - brocht the cuttin tae a stap. Hokin it oot wuz a sizzem (anither boady wud 'a swore) an made a wile hashter o the face; but the wheeler, quait, got his wun.

The wunnin itsel wuz naethin: fittin an castlin an ricklin taen naethin ooty ye (bar whutiver the midges taen). An the oany bother wae cairtin hame wuz thon rodden, slunky an stoory or slunky an wat, but slunky aye, whar lairin or copin, wae ower mony on, wuz a rail chance. Sae ye'd maistly hae tae hal oot in dregs, heelin up yin dreg on the road bunker tae be clodded an bigged on the nixt, tae mak a hale laid for hame.

60

Lint (A pooer mines)

GREEN LINT

We kep wer ee on it, frae the green scad o the furst braird tae
the blyue bow (a sicht for oany ee) an the hard bow: the
fairmer, luckin for a hunther tae the peck or mair an a throw
o catter at a ticht time; an the pooers, gled o a throw at
oanytim, luckin tae mak a lock mair nor the colour they
maistly got. Naw a lock o guid tae the yin, an naen ava tae
the ithers, wuz the shoart fine lint, lake wunnlestray, maistly
on scappy or hung'ry grun; yit if saft, flush lint wuz chancy
for the fairmer (frush, affen, unther the hannles), it garred
the pooer wat the loof, ettlin tae get weegin. Sae thing tal an
firm o itsel wud dae baith weel.

Ay, weegin: bennin an strechtin, weegin an pooin,
cross the face o a braid flet, ye wrocht. An wrocht, for it wuz
sore gan: ill on the bak an war on the hans an airms, even
wae hoagers tae hinther the scourgin. Ay, but the catter wuz
guid, an rail guid at yintim: at twa shillin or half-a-croon a
stook (a dizzen fait beets tied wae bans o wun rashes) a
boady micht weel mak a week's pie in yin or twa starts. An
for the rail able, mine, twunty tae twunty-five stooks wuznae
ooty the wie - coont that in yer heid (sitch coontin wuz mair
nor ooty the wie for pooers' heids).

An frae the fiel tae the dub, frae pooin tae holin: the
low-bigged loads, on a ruck-shifter or flet trailer, wur coped
nixt the broo o the dam, reamin foo noo frae a trinket cut

tae the sheugh or burn an faced clean wae a boagknife
or weel-shairped spade. Yin clodded fort, anither
holed - butts up, maistly, or whiles heids or heids an
thras - wae a' staned doon frae coops alang baith
broos and weel tramped, tae the nixt trampin an mair
stanin whun the lint swahled.

WAT LINT

Mortyal man couldnae fin, nor the sorra devise, an
oaglier unthertakkin nor the cloddin oot. Wae the
reed richt saffened, the maist o the lint watter lut aff
(inty an empy dam, accoardin tae the la, for it
puzhined troots; inty the sheugh or burn, accoardin
tae yer minin o it, wae oany deein troots reskyed for
the pan) an the stanes aff, come the cloddin oot. A
wexer. Weerin owl claes, spalterin an plowtin in glar
and soor watter wae a hoag wud'a knocked doon
bees, ye'd gether an cairry the teemin beets, sweemin
them, whiles, tae hilsh onty the broo for the piler tae
lee bak wae the graip. Beet efter drookit beet an, wae
a big dam, oor efter enless oor, ye wrassled an wrocht,
stappin a wee, whiles, an aply withoot iver leein the
watter, tae tak pieces or whutiver, wae het tay, aiblins
wae a wee jibble in it, tae gie it a jag. An wae a' ower,
sprachle oot, draiglit an daen, shachlin an plowtin tae

the burn or whuriver, tae rensh aff the rugh o the lint
watter, afore casin the wat claes at the dake-bak. A rail
wexer.

DRIED LINT
Wae oany thank an a lock o sin, scattered lint shane
dried, whather spread or half-beeted an gaited - gaitin
micht be mair the thing in bruckle wather, but yins
had their ain wie o it - an wuz tied wae the dried-oot
bans. Harly iver stakked, it wuz maistly dooble-
stooked or bigged in havels or in sheegs (ca'd birts
bae some) an thatched wae lint itsel or wae rashes;
a lock tae dae wae a shane the mill could tak it.

THE LINT-MILL
Three lint-mills sut (an sit empy noo) alang the
streetch o the big watter rinnin frae Kilmandil tae
Killagan, little ower a mile, a misure o whut lint
meent thonner at thontim. An ye mine the yin at
Killagan wae a weetchil's minin. The dam, lang awa,
fillin frae the lade, yin sloosh at the heid-race tae
regalate the wecht o watter tae the wheel, the ither
cross the lade itsel at the rodden brig, cogged at the
richt hicht for the owerspill tae ga doon the bak-fa,
wae the dam foo, or wun up wae the mill aff.

An a weetchil's furst sicht o it a', cairryin in beets tae
the bak binch: lake sheddas, shapin quait in the
rummle o the rowlers an the wheesh an snore o the
birlin hannles, in the licht stoor an waftin powce:
wur they the yins ye knowed sae weel ootby? Bae the
binches an rowlers an stocks they niver pahsed, harly
lucked roon them: the taiter chappin the butts an
teaslin oot the lint tae feed inty the rowlers; the
strickers, at the ither en, getherin the hanfas o bruised
staks an twustin them wae a thra inty stricks, pooin oot
the dra'ins; the buffers, giein the stricks the furst run at
the hannles, batterin aff the rugh o the shows an oany
tats o rug; the cleaners, giein the run that mettered;
an graipin an grammlin amang a', lake a doag alow the
table, the rug-shaker, getherin the rug an scattered tow
in airmfas an trailin it ootby whar he shuck the shows
oot on the show-hill. Ither yins: anither worl.

AN NOO

An noo? The day, an naw its lane, it's a' by; an'll niver
be bak. (Daes ocht ither nor bother iver come bak?)
The odd fiel, grew for linseed, haes naethin tae dae wae
a' thon, or only tae mine ye on it, lake an owl phota
ye'd come ower. Noo the mills, rickles maistly, stan
empy an quait; a lint-dam ye'd harly iver fin, gyely a'
filled in, biried, wae oany the odd yin, forgot in a quait,
wat corner, an sae grew ower it's nae mair nor a wraith
o itsel, a green scad. A' by.